BASIC BACKEN

Cupcakes Muffins & Co.

Bibliografische Information der Deutschen Bibliothek.

Die Deutsche Bibliothek verzeichnet diese Publikation in der Deutschen Nationalbibliografie. Detaillierte bibliografische Daten sind im Internet über http://www.dnb.de/ abrufbar.

EIN BUCH DER EDITION MICHAEL FISCHER

1. Auflage 2019

Covergestaltung und Layout: Helena Eichinger
Redaktion und Lektorat: Marcelina Schulte
Satz: Helena Eichinger
Texte und Rezepte: Monique Ascanelli: S. 8, 9, 10, 11, 12, 13) Sarah Plavic (S. 16,18,20, 22, 24, 26, 72), Melanie Allhoff (S. 28, 30, 32, 68, 70, 94), Markus Hummel(S. 34, 36, 38, 40, 42, 44, 46, 74), Marc Cromer (S. 48,50, 52, 54, 56, 58), Mara Hörner (S. 60), Markus Hummel (S. 62, 64, 66), Emma Friedrichs (S. 8, 9, 10, 11, 12, 13, 84, 86, 88, 90, 92), weitere: S. 76 (©StockFood / PhotoCuisine / Syl d AB), S. 78 (©StockFood / Castilho, Rua), S. 80 (©StockFood / Schindler, Martina), S. 82 (©StockFood / Atelier Hämmerle)
Bildnachweis: Sarah Plavic (S. 16,18,20, 22, 24, 26, 72), Melanie Allhoff (S. 28, 30, 32, 68, 70, 94), Jascha Pansch (S. 34, 36, 38, 40, 42, 44, 46, 74), Marc Cromer (S. 48,50, 52, 54, 56, 58), Mara Hörner (S. 60), Markus Hummel (S. 62, 64, 66), Emma Friedrichs (S. 3, 84, 86, 88, 90, 92), weitere: S. 76 (©StockFood / PhotoCuisine / Syl d AB), S. 78 (©StockFood / Castilho, Rua), S. 80 (©StockFood / Schindler, Martina), S. 82 (©StockFood / Atelier Hämmerle)
Coverfoto: Marc Kromer

ISBN 978-3-96093-273-4

Gedruckt bei Polygraf Print, Čapajevova 44, 08001 Prešov, Slowakei

www.emf-verlag.de

Plavic, SaraAllhoff, MelanieHummel, Markus

BASIC BACKEN

Cupcakes Muffins & Co.

EMF

EIN BUCH DER
EDITION MICHAEL FISCHER

INHALT

GRUNDLAGEN

REZEPTE

GRUNDLAGEN

SPRITZBEUTEL UND TÜLLEN

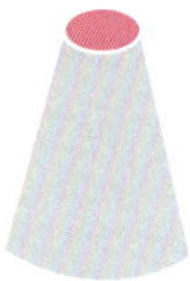

LOCHTÜLLEN

Die einfachste Tülle ist die Lochtülle. Mit ihr kann man Schriftzüge gestalten. Auch einfache Umrandungen sind mit dieser Tülle möglich. Mit einer großen Lochtülle lässt sich auch ein einfacher Swirl von außen nach innen auf einen Cupcake spritzen.

OFFENE STERNTÜLLEN

Mit der offenen Sterntülle lassen sich wunderbar klassische Swirls aus Buttercreme auf Cupcakes spritzen. Auch Baisers lassen sich mit dieser Tülle aufspritzen. Für einen perfekten Swirl die Buttercreme ganz einfach von außen nach innen kreisförmig auf den Cupcake spritzen.

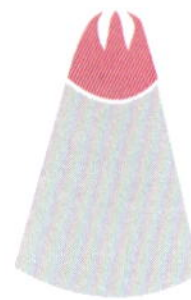

GESCHLOSSENE STERNTÜLLEN

Die geschlossene Sterntülle eignet sich für einfache Strukturen z. B. Muscheln, Blüten und Rosetten. Ein Swirl mit dieser Tülle wirkt leicht gerüscht und wesentlich verspielter als mit der offenen Sterntülle.

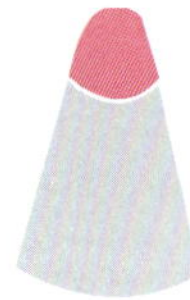

BLÜTENSTÜLLE

Mit der Blütentülle lassen sich ganz einfach kleine Blüten spritzen. Hierzu zieht man den Spritzbeutel beim Spritzen gerade nach oben weg. Durch gleichzeitiges Drehen kann man auch gedrehte Blüten spritzen.

ROSENTÜLLEN

Bei der Rosentülle ist eine Seite weiter geöffnet und die andere Seite schmal. So lassen sich ganz einfach Rüschen und Wellen aus Buttercreme spritzen oder aber Rosen mit einzelnen Blütenblättern.

BLATTTÜLLEN

Mit der V-förmigen Spitze der Blattülle lassen sich ganz einfach Blätter aufspritzen. Mit ein wenig Übung kann man mit dieser Tülle ganz viele verschiedene Blattformen spritzen.

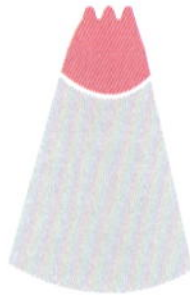

GRASTÜLLEN

Die Grastülle hat mehrere kleine Löcher, mit denen Strukturen wie Gras oder auch Fell aufgespritzt werden können. Besonders schön sieht es aus, wenn eine gut gekühlte Creme aufgespritzt wird.

HALBRUNDTÜLLE

Mit dieser Spezialtülle lassen sich besonders gut Tupfen, aber auch kleine Blätter aufspritzen.

BUTTERCREME FÄRBEN

Um Buttercremes zu färben, wird die Lebensmittelgelfarbe ganz einfach unter die Creme gerührt. Wichtig ist immer, dass die Cremes nicht zu flüssig oder zu hart sind. Sie sollte auf gar keinen Fall Klümpchen, z. B. vom Puderzucker, enthalten. Dünne Tüllen verstopfen sonst direkt. Sollte während des Aufspritzens die Creme zu weich werden, dann kann man sie für ein paar Minuten in den Kühlschrank stellen.

DER SPRITZBEUTEL

Zum Befüllen die Spitze des Spritzbeutels abschneiden und mit einer Spritztülle versehen. Den Beutel mittig mit einer Hand umschließen und das Ende des Beutels über die Hand stülpen. So lässt sich der Beutel leichter befüllen. Du kannst den Beutel aber auch in ein großes Glas z. B. in ein Weizenglas hängen. Die Creme wird dann mit einem Teigspatel in den Beutel gefüllt. Hierbei kann man die Creme schön an den Fingern oder dem Glasrand abstreifen. Den Beutel nicht zu voll machen. Man sollte ihn nachher noch zusammendrehen können, sonst quillt die ganze Masse oben raus! Beim Aufspritzen die Tülle nie direkt auf die Torte setzen. Immer mit einem kleinen Abstand aufspritzen. Üben kann man ganz einfach auf einem Backpapier. Sollte das Ergebnis nicht gefallen, kann man die Creme wieder zurück in den Spirtzbeutel geben.

FARBSWIRLS

Effektvolle Farbswirls, wie z. B. bei den Galaxy Cupcakes, lassen sich ganz einfach herstellen. Etwas Frischhaltefolie ausbreiten und verschiedene Cremes nebeneinander aufspritzen. Die Frischhaltefolie zusammenrollen und in den Spritzbeutel mit einer Sterntülle setzen. Den Spritzbeutel verschließen und Swirls aufspritzen.

EINFACHE BUTTERCREME

ZUTATEN

150 g weiche Butter
3 ml Vanilleextrakt
350 g Puderzucker, gesiebt
30 ml Milch

für 1 Torte

ZUBEREITUNG

Butter mit Vanilleextrakt weiß aufschlagen, etwa 5–10 Minuten. Puderzucker nach und nach unterschlagen. Dann erst die Milch dazugeben.
Insgesamt wird die Buttercreme etwa 10–15 Minuten aufgeschlagen.

SWISS MERINGUE BUTTERCREME

ZUTATEN

6 Eiweiß
240 g feiner Zucker
360 g weiche Butter
Aroma (optional)

für 1 Torte

ZUBEREITUNG

Eiweiß mit Zucker über einem heißen Wasserbad unter Rühren auf 60 °C erhitzen, bis der Zucker sich gelöst hat. Wichtig ist hierbei, dass ein Zuckerthermometer verwendet wird. Eiweiß in die Rührschüssel der Küchenmaschine füllen und aufschlagen. Das kann etwas dauern, aber sobald die Meringue-Creme weiß aufgeschlagen und wieder auf Raumtemperatur abgekühlt ist, die weiche Butter in Stücken nacheinander unterschlagen. Die Creme gerinnt erst, wird dann aber wieder cremig, wenn man weiterschlägt. Das Ganze funktioniert mit dem Handrührgerät auch, dauert jedoch sehr lange. Die Creme kann sofort verwendet werden. Sie ist im Kühlschrank 3–5 Tage haltbar und kann sogar eingefroren werden. Muss dann aber wieder frisch aufgeschlagen werden.

CUPCAKES SCHOKO

ZUTATEN

120 g Zucker
70 g weiche Butter
1 Prise Salz
1 Ei
100 g Mehl
30 g Backkakao
1 TL Backpulver
100 ml Milch

Außerdem
Backpapierförmchen
Muffinblech

für 12 Stück

ZUBEREITUNG

Den Backofen auf 180 °C Ober-/Unterhitze vorheizen.

Den Zucker und die Butter schaumig schlagen. Salz hinzugeben. Das Ei unterschlagen. Mehl, Kakao und Backpulver mischen und im Wechsel mit der Milch unter die Zucker-Butter-Mischung rühren.

Die Backpapierförmchen auf dem Muffinblech verteilen. Den Teig in die Förmchen füllen und im vorgeheizten Backofen etwa 18 Minuten backen. Stäbchenprobe nicht vergessen. Aus dem Ofen nehmen und auf einem Kuchengitter auskühlen lassen.

CUPCAKES VANILLE

ZUTATEN

125 g weiche Butter

125 g Zucker

1 Pck Vanillezucker oder
½ Röhrchen Vanillearoma

2 Eier (Größe M)

125 g Mehl

1 TL Backpulver

1 EL Milch

Außerdem
Papierbackförmchen

Muffin-Backform

für 12 Stück

ZUBEREITUNG

Backofen auf 180 °C Ober-/Unterhitze vorheizen. Butter, Zucker und Vanillezucker cremig schlagen. Eier einzeln für mindestens ½ Minute unterschlagen. Mehl und Backpulver mischen und zusammen mit der Milch unter die Butter-Ei-Masse kurz unterrühren.

Förmchen in der Muffinbackform zu ⅔ mit dem Teig befüllen und im Ofen etwa 18 Minuten backen. Die Stäbchenprobe nicht vergessen! Aus dem Ofen holen und auf einem Kuchengitter auskühlen lassen.

REZEPTE

TIPP

Die Teigmenge in 26 cm großen Springform backen. Den Grundteig kann man statt mit Limo mit Eierlikör verfeinern.

LIMO MUFFINS

ZUTATEN

Für den Teig
330 g Zucker
1 Päckchen Vanillezucker
4 Eier
200 ml Pflanzenöl
300 g Mehl
1 Päckchen Backpulver
Salz
200 ml Limo

Für die Glasur
200 g Puderzucker
Saft ½ Zitrone

Außerdem
Muffinblech
30 Papierförmchen

für ca. 30 Stück

ZUBEREITUNG

Das Muffinblech mit Papierförmchen auslegen und den Ofen auf 180 °C Umluft vorheizen.

Zucker, Vanillezucker und Eier mit einem Rührgerät verrühren. Langsam das Öl hinzugeben.

Das Mehl mit dem Backpulver und 1 Prise Salz vermengen. Abwechselnd mit der Limo zum Teig geben und alles gut miteinander verrühren.

Die Papierförmchen im Muffinblech zu ¾ mit Teig füllen und anschließend 18 Minuten lang backen.

Eine Glasur aus Puderzucker und Zitronensaft verrühren und die Muffins nach Belieben damit bestreichen. Fruchtig gut!

SCHMANDKUCHEN TÖRTCHEN

ZUTATEN

Für den Teig
2 Eier

150 g Zucker

120 ml Öl

175 g Mehl

1 Päckchen Vanillezucker

½ Päckchen Backpulver

75 ml Limo

Für die Schmandschicht
300 ml Sahne

1 Päckchen Sahnesteif

300 g Schmand

Zur Dekoration

frische Beeren

Zucker und Zimt

Außerdem
runde Ausstecher
(Ø Mind. 10 cm)

für ca. 6–8 Stück, je nach Ausstechform

ZUBEREITUNG

Den Backofen auf 180 °C Umluft vorheizen und ein 30 x 30 cm Backblech mit Backpapier auslegen.

Für den Teig alle Zutaten miteinander in eine Rührschüssel geben und zu einem glatten Rührteig vermischen.

Den Teig in die Backform geben und ungefähr 10–15 Minuten goldgelb backen. Abkühlen lassen.

Die Sahne mit dem Sahnesteif steif schlagen und vorsichtig den Schmand unterheben.

Aus dem Kuchenteig die Teigkreise ausstechen, je 1–2 Esslöffel Schmandcreme daraufgeben und mit einem Messer glatt streichen.

Frische Beeren auf den Küchlein anordnen und mit Zucker und Zimt bestreuen.

HIMMELSTORTE-CUPCAKES

ZUTATEN

Für den Teig
50 g Mehl
25 g Speisestärke
3 Eier, 1 Eigelb
100 g Zucker
1 Päckchen Vanillezucker
50 ml Öl
Schale einer ½ Bio-Zitrone

Für das Topping
300 ml Sahne
1 Päckchen Sahnesteif

Für den Belag
100 g Butter | 80 g Zucker
Salz 2 | Eigelb
100 g Mehl
1 TL Backpulver
2 Eiweiß | 2 EL Zucker
40 g gehobelte Mandeln
1 Prise Zimt

Außerdem
60 g Johannisbeergelee
frische Johannisbeeren
Muffinform
12 Papierförmchen
Spritzbeutel mit Sterntülle

für 12 Stück

ZUBEREITUNG

Den Ofen auf 180 °C Umluft vorheizen. Ein Muffinblech mit Papierförmchen und ein Backblech mit Backpapier auslegen.

Mehl mit Speisestärke vermengen, beiseitestellen. Die Eier und das Eigelb mit dem Zucker und Vanillezucker verrühren, bis sich die Masse verdoppelt hat. Das Mehl während des Rührvorgangs hinzugeben und zum Schluss das Öl hinzugießen. Danach kurz die Zitronenschale unterheben. Die Papierförmchen nun zu 2/3 mit dem Teig füllen und 18 Minuten goldgelb backen.

Für den Belag den Rührteig zubereiten. Dazu die Butter mit dem Zucker verrühren und 1 Prise Salz hinzugeben. Die Eigelbe einrühren und alles gut vermengen. Zum Schluss das Mehl mit dem Backpulver unterheben.

Eiweiße mit 1 Esslöffel Zucker steif schlagen. Die Mandeln mit dem restlichen Zucker und Zimt vermengen.

12 Teigkreise mithilfe von Esslöffeln auf das Backblech geben. Der Durchschnitt der Kreise sollte etwas kleiner sein als die Größe der Cupcakes, da der Teig etwas auseinander geht. Den Eischnee auf die Teigkreise verteilen und mit der Mandel-Zucker-Mischung bestreuen.

Die Teigkreise ebenfalls bei 180 °C zwischen 12–15 Minuten goldgelb backen. Abkühlen lassen.

In der Zwischenzeit jeweils 1 Teelöffel Johannisbeergelee auf den Cupcakes verteilen. Die Sahne mit dem Sahnesteif schlagen und in einen Spritzbeutel mit Sterntülle füllen. Diese nun dekorativ, aber eher flach auf die Cupcakes spritzen. Einige Johannisbeeren auf der Sahne verteilen, den Teigkreis darauf setzen und mit weiteren Johannisbeerzweigen dekorieren.

DONAUWELLE-CUPCAKES

ZUTATEN

Für den Teig
125 g weiche Butter
110 g Zucker
1 Päckchen Vanillezucker
3 Eier
180 g Mehl
½ Päckchen Backpulver
2 EL Milch
1 TL Kakaopulver
½ Glas Schattenmorellen

Für die Creme
1 Päckchen Vanille-puddingpulver
50 g Zucker
500 ml Milch
280 g weiche Butter

Für die Glasur
350 g Zartbitterkuvertüre
3 EL Öl

Außerdem
Muffinblech
16 Papierförmchen
Spritzbeutel mit runder Tülle

für 16 Cupcakes

ZUBEREITUNG

Das Muffinblech mit Papierförmchen auslegen und den Ofen auf 180 °C Umluft vorheizen.

Für die Creme den Pudding mit Zucker und Milch nach Packungsanleitung kochen, mit angedrückter Frischhaltefolie abkühlen lassen.

Für den Teig die weiche Butter mit Zucker und Vanillezucker cremig schlagen. Die Eier nach und nach hinzugeben und vermengen. Das Mehl mit dem Backpulver vermengen und mit der Milch unter ständigem Rühren abwechselnd zum Teig hinzugeben. Nun den Teig halbieren und in zwei Rührschüsseln geben. In die eine Hälfte den Kakao einrühren.

Anschließend jeweils 1 Esslöffel hellen Teig und darauf 1 Esslöffel dunklen Teig in die Förmchen geben. Nun jeweils 3 Kirschen in die Förmchen geben und etwas eindrücken, damit die Wellenform im Teig entstehen kann. Die Cupcakes 18 Minuten backen und auf einem Gitter abkühlen lassen.

In der Zwischenzeit die Buttercreme fertigstellen. Dafür die weiche Butter aufschlagen und nach und nach in den Pudding einrühren. Der Pudding sollte mittlerweile Raumtemperatur haben.

Die Creme mit einer runden Spritztülle auf die Cupcakes spritzen und etwa 30 Minuten im Kühlschrank abkühlen lassen. In der Zwischenzeit die Schokolade klein hacken, in einem Wasserbad schmelzen lassen und das Öl unterrühren. Die Glasur in ein hohes Gefäß füllen und abkühlen lassen. Nun die Cupcakes mit der Buttercreme voran in die Schokolade tauchen und diese anschließend fest werden lassen.

BIENENSTICH-CUPCAKES

ZUTATEN

Für den Teig
150 g Mehl

75 g gemahlene blanchierte Mandeln

2 TL Backpulver

175 g Butter

150 g Zucker

1 Prise Salz

Schale einer ½ Bio-Zitrone

3 Eier

100 g fettarmer Joghurt

Für die Buttercreme
200 g Butter

160 g Marshmallow Fluff

Für das Topping
125 g Mandelblättchen

100 g Zucker

25 g Butter

2 EL Honig

4 EL Schlagsahne

Außerdem
Muffinblech

12 Papierförmchen

Spritzbeutel mit großer, runder Lochtülle

für 12 Cupcakes

ZUBEREITUNG

Ofen auf 170 °C Umluft vorheizen. Das Muffinblech mit 12 Papierförmchen auslegen.

Das Mehl mit den gemahlenen Mandeln und dem Backpulver vermengen und beiseitestellen.

In einer separaten Schüssel Butter, Zucker, Salz und die Zitronenschale vermengen und etwa 5 Minuten lang hellgelb schlagen.

Eier einzeln hinzufügen, anschließend den Joghurt dazugeben und weiterrühren. Nun die Mehlmasse langsam unter den Teig heben.

Die Papierförmchen mit dem Teig füllen, sodass diese ¾ voll sind, und etwa 18–20 Minuten backen. Abkühlen lassen.

Für die Füllung die Butter 1–2 Minuten locker aufschlagen und danach löffelweise den Marshmallow Fluff hinzugeben. Auf höchster Stufe 5 Minuten lang schlagen, bis sich die Masse gut verbunden hat und hellgelb bis weißlich erscheint.

Von den abgekühlten Cupcakes im oberen Bereich einen „Deckel" abschneiden. Nun einen Spritzbeutel mit großer, runder Lochtülle mit Creme füllen und flach auf die Cupcakes aufspritzen. Deckel wieder aufsetzen.

Für das Topping die Mandelblättchen in einer beschichteten Pfanne ohne Fett braun werden lassen. Zucker in einem Topf karamellisieren lassen. Die Butter und dann den Honig unterrühren. Anschließend die Sahne unterrühren und aufkochen lassen. Zum Schluss die Mandelblättchen einrühren.

Mandelmasse direkt vom Herd auf den Cupcakes verteilen. Trocknen lassen und genießen!

FRANKFURTER-KRANZ-CUPCAKES

ZUTATEN

Für die Buttercreme
500 ml Milch
1 Vanilleschote
2 Eigelb
1 EL Zucker
5 TL Speisestärke
280 g weiche Butter

Für den Teig
180 g Butter
150 g Zucker
1 Päckchen Vanillezucker
5 Eier
180 g Mehl
3 TL Backpulver
Zum Fertigstellen
60 g Johannisbeergelee
Krokant und Belegkirschen zur Dekoration

Außerdem
Muffinblech
12 Papierförmchen
Spritzbeutel mit Sterntülle

für 12 Stück

ZUBEREITUNG

Zuerst den Pudding für die Buttercreme zubereiten. Dafür 400 ml der Milch mit Vanillemark aus der Vanilleschote aufkochen lassen. Die restliche Milch mit den Eigelben, dem Zucker sowie der Speisestärke verrühren und unter ständigem Rühren in die kochende Milch gießen. Alles zusammen kurz aufkochen lassen und vom Herd nehmen. Mit Frischhaltefolie bedecken und abkühlen lassen.

Den Ofen auf 180 °C Umluft vorheizen und das Muffinblech mit Papierförmchen auslegen.

Für den Teig die Butter mit dem Zucker und Vanillezucker verrühren. Die Eier einzeln unter Rühren hinzugeben und alles gut vermengen. Zum Schluss das Mehl mit dem Backpulver langsam einrühren.

Die Papierförmchen zu 2/3 mit dem Teig füllen und anschließend 18 Minuten lang goldbraun backen. Abkühlen lassen.

Nun den Pudding mit einem Rührgerät aufschlagen, die weiche Butter einrühren und zu einer Creme aufschlagen.

Mit einem scharfen Messer von jedem Cupcake den Deckel abschneiden und etwas Teig entfernen. Diese Mulde nun mit je 1 Teelöffel Johannisbeergelee füllen und anschließend mit dem Teigdeckel verschließen.

Die Buttercreme in einen Spritzbeutel mit Sterntülle geben und diese dekorativ auftragen.

Mit Krokant und Belegkirschen dekorieren. Anschließend servieren und genießen!

MINI-OMBRÉ-TÖRTCHEN

ZUTATEN

Für die Böden
200 g Butterkekse
100 g Butter
1 EL Honig
3 EL brauner Zucker

Für die Creme
100 g Sahne
2 TL Puderzucker
100 g Frischkäse
250 g Speisequark (20 % Fett)
2 EL Vanillezucker
1 Beutel pflanzliches Geliermittel (z. B. Agartine)
lila Lebensmittelpaste

Für das Topping
100 g Sahne
2 TL Puderzucker
100 g Speisequark (20 % Fett)
lila Lebensmittelpaste
12 Blaubeeren
6 Schokokeksstäbchen

Außerdem
Gefrierbeutel, Nudelholz
6 Dessertringe mit je 8 cm Ø
Spritzbeutel mit Sterntülle

für 6 Stück

ZUBEREITUNG

Für die Böden die Butterkekse in einen Gefrierbeutel geben und mit dem Nudelholz in kleine Stücke zerbröseln. Ein Backblech mit Backpapier auslegen und die Dessertringe mit etwas Abstand daraufsetzen.

Die Butter mit dem braunen Zucker und Honig in einem Topf unter Rühren schmelzen lassen. Die Buttermischung mit den Keksbröseln vermengen und die Dessertringe damit füllen, die Masse dabei fest andrücken. Die Böden bis zur weiteren Verwendung in den Kühlschrank stellen.

Inzwischen für die Creme die Sahne mit dem Puderzucker steif schlagen. Den Frischkäse mit Quark und Vanillezucker verrühren. Die Sahne unterheben.

Das Geliermittel mit 200 ml Wasser aufkochen und etwa 2 Minuten kochen lassen, anschließend etwas abkühlen lassen, sonst gerinnt die Sahne beim Unterrühren. Danach das Geliermittel unter die Sahnemischung rühren und die Creme auf drei Schüsseln verteilen.

In eine Schüssel 1 kleine Messerspitze lila Lebensmittelpaste unterrühren, in die zweite Schüssel 1 große Messerspitze lila Lebensmittelpaste rühren. Die Creme in der dritten Schüssel bleibt ungefärbt. Die Creme schichtweise in die Dessertringe füllen und für Mindestens 3–4 Stunden in den Kühlschrank stellen.

Vor dem Servieren für das Topping die Sahne mit Puderzucker steif schlagen und mit dem Quark verrühren. Das Topping auf zwei Schüsseln verteilen. In eine Schüssel 1 Messerspitze lila Lebensmittelpaste rühren. Das Topping abwechselnd in einen Spritzbeutel mit Sterntülle füllen und in kleinen Tupfen auf den Desserts verteilen. Die kleinen Törtchen mit Blaubeeren und Schokokeksstäbchen verzieren und servieren.

MINI-VANILLE-CUPCAKES

ZUTATEN

Für den Teig
110 g Margarine
110 g Zucker
1 EL Vanillezucker
2 Eier (M)
110 g Weizenmehl (Type 405)
½ Päckchen Backpulver

Für das Topping
200 g weiße Kuvertüre
270 g Frischkäse
70 g weiche Butter
35 kurze Zebra-Schokoröllchen

Außerdem
1 Mini-Cupcakeform
Spritzbeutel mit Sterntülle
Nudelholz
6 Dessertringe mit je 8 cm Ø
Spritzbeutel mit Sterntülle

für 35 Stück

ZUBEREITUNG

Den Backofen auf 160 °C Ober-/Unterhitze vorheizen. Für den Teig Margarine, Zucker, Vanillezucker und Eier in eine Rührschüssel geben und verrühren. Dann das Mehl mit dem Backpulver mischen. Die Mehlmischung nach und nach dazugeben und alles zu einem zähflüssigen Teig verrühren.

Die Vertiefungen der Mini-Cupcake-Form zu zwei Dritteln mit dem Teig füllen. Den Teig im Backofen (mittlere Schiene) 10–15 Minuten backen. Anschließend aus dem Ofen nehmen und die Cupcakes auf einem Kuchengitter abkühlen lassen.

Inzwischen für das Topping die Kuvertüre in einer Schüssel über dem heißen Wasserbad schmelzen, dann etwas abkühlen lassen. Den Frischkäse und die weiche Butter dazugeben und mit den Quirlen des Handrührgeräts gut unterrühren.

Die Masse für das Topping in einen Spritzbeutel mit Sterntülle füllen, auf die ausgekühlten Cupcakes spritzen und mit Zebra-Schokoröllchen belegen.

TIPP
Topping vor dem Verzieren für kurze Zeit in den Kühlschrank stellen, dann wird es fester und bin Form.

SPEKULATIUS TÖRTCHEN

ZUTATEN

Für die Böden
200 g Spekulatius
1 EL Honig
80 g Butter

Für die Creme
250 g Sahne
1 EL Puderzucker
1 EL Vanillezucker
200 g Mascarpone
1 EL Apfelsaft
1 EL Mandellikör (z. B. Amaretto, wahlweise 1 EL Apfelsaft)
1 TL Spekulatiusgewürz
50 g brauner Zucker
1 Beutel pflanzliches Geliermittel (z. B. Agartine)

Außerdem
Gefrierbeutel
Nudelholz
6 Dessertringe mit je 8 cm Ø
TK-Beerenmischung
6 Spekulatius

für 6 Stück

ZUBEREITUNG

Für die Böden das Spekulatiusgebäck in einen Gefrierbeutel geben und mit einem Nudelholz klein zerbröseln und in eine Schüssel geben. Den Honig dazugeben. Die Butter zerlassen und ebenfalls hinzufügen. Dann alles gut verrühren.

Ein Brett mit Backpapier belegen und die Dessertringe daraufsetzen. Die Spekulatiusmasse gleichmäßig auf die Ringe verteilen und fest andrücken, am besten mit einem Stampfer. Die Böden bis zur weiteren Verwendung in den Kühlschrank stellen.

Inzwischen für die Creme die Sahne mit Puderzucker und Vanillezucker steif schlagen. Den Mascarpone mit Apfelsaft, Likör, Spekulatiusgewürz und braunem Zucker verrühren. Die Sahne vorsichtig unterheben.

Das Geliermittel mit 200 ml Wasser in einem Topf verrühren, aufkochen und 1–2 Minuten kochen, dann vor dem Unterrühren etwas abkühlen lassen, damit die Sahne nicht schmilzt.

Die Gelatine mit einem Schneebesen unter die Sahne-Mascarpone-Creme rühren und die Creme gleichmäßig auf den Spekulatiusbröseln verteilen. Die Törtchen etwa 4 Stunden in den Kühlschrank stellen und die Creme fest werden lassen.

Die Törtchen von unten aus den Dessertringen schieben, am besten mit einem Stampfer, und anrichten. Mit der gefrorenen Beerenmischung und Spekulatius verzieren und servieren.

WHITE-RUSSIAN-CUPCAKES

ZUTATEN

200 g Mehl

1½ TL Backpulver

¼ TL Salz

130 g weiche Butter

165 g Zucker

1 Ei (L) + 1 Eiweiß (L)

1 TL Vanilleextrakt

30 ml Wodka

60 ml Kahlúa (oder ein anderer Kaffeelikör)

125 ml Milch

Für das Frosting

115 g weiche Butter

1 Prise Salz

300 g Puderzucker, gesiebt

4 EL Kahlúa (oder ein anderer Kaffeelikör)

12 Kaffeebohnen

Kaffeepulver

Außerdem

12 Papierförmchen

für 12 Cupcakes

ZUBEREITUNG

Zuerst werden die Cupcakes gebacken: Setze dazu 12 Papierförmchen in ein Muffinblech und heize den Backofen auf 180 Grad vor. Mische Mehl, Backpulver und Salz in einer großen Schüssel. Gib die weiche Butter und den Zucker in die Schüssel einer Küchenmaschine und lass diese auf mittlerer Stufe rühren, bis sich Zucker und Butter gut verbunden haben. Gib nun das Ei und das Eiweiß dazu und verrühre es kurz mit dem Teig. Füge Vanilleextrakt, Wodka und die Hälfte des Kahlúa hinzu und lass den Aufsatz der Küchenmaschine nochmals ein paar Runden im Teig drehen. Schalte die Küchenmaschine auf die niedrigste Stufe und gib abwechselnd das Mehl und die Milch zum Teig: Beginne mit einem Drittel des Mehls, füge als Nächstes zuerst die Hälfte der Milch dazu, dann das zweite Drittel Mehl, die restliche Milch und zum Schluss das letzte Drittel des Mehls.

Löffle den Teig in die Förmchen, sodass diese etwa zu zwei Drittel gefüllt sind, und backe die Cupcakes für 17–20 Minuten im vorgeheizten Ofen. Sie sind fertig, wenn sie goldgelb sind – mach am besten einen Stäbchentest. Hole sie aus dem Ofen und bestreiche die noch heißen Küchlein mit dem restlichen Kahlúa. Lass sie in der Form vollständig abkühlen. Wenn die Cupcakes fast komplett erkaltet sind, kannst du das Frosting zubereiten: Gib die weiche Butter mit dem Salz in die Schüssel der Küchenmaschine und schlage beides auf der höchsten Stufe etwa 3–5 Minuten cremig auf. Füge dann den Puderzucker in drei Teilen dazu und lass die Maschine immer so lange rühren, bis sich alles gut verbunden hat. Gib zum Schluss löffelweise den Kahlúa dazu und rühre so lange, bis das Frosting die gewünschte Konsistenz erreicht hat. Fülle das Frosting in einen Spritzbeutel mit Sterntülle und sprühe es kreisförmig auf die Cupcakes. Verziere das Frosting mit Kaffeebohnen und etwas Kaffeepulver.

MAI-TAI-MUFFINS

ZUTATEN

200 g Mehl

1 ½ TL Backpulver

125 g weiche Butter

125 g Zucker

3 Eier

50 g gemahlene Mandeln

2 Bio-Orangen

2 EL gehackte, kandierte Ananas

1 EL Mandelsirup (z. B. Monin)

4 EL Rum

100 g Mandelstifte

Orangenmarmelade

Außerdem
12 Papierförmchen

für 12 Cupcakes

ZUBEREITUNG

Heize erst mal den Ofen auf 180 Grad vor und setze 12 Papierförmchen in die Mulden eines Muffinblechs. Mische in einer kleinen Schüssel Mehl und Backpulver.

Schlage die Butter und den Zucker in einer großen Schüssel schaumig auf. Rühre dann jedes Ei einzeln etwa 30 Sekunden unter die Buttermasse.

Siebe das Mehl über den Teig, gib die gemahlenen Mandeln dazu und rühre beides auf niedriger Stufe unter.

Rasple die Schale von 1 Orange vorsichtig dünn ab und hacke sie fein. (Achte darauf, dass das weiße Fruchtfleisch nicht mit abgeschnitten wird, sonst wird's zu bitter!) Gib dann die Orangenschale mit den kandierten Ananasstückchen, dem Mandelsirup und dem Rum zum Teig und rühre alles gut unter.

Fülle den Teig in die Muffinförmchen – allerdings nur zu zwei Dritteln! Verteile die Mandelstifte auf den Küchlein und backe sie im vorgeheizten Ofen 20–25 Minuten oder bis sie schön goldgelb sind. Wenn du nicht sicher bist, ob der Teig schon durch ist, dann mach einfach einen Stäbchentest.

Hol die Muffins aus dem Ofen und lass sie im Blech vollständig abkühlen. Gib dann jeweils einen Klecks Orangenmarmelade auf die Muffins, reibe die Schale der zweiten Orange ab und verziere damit die kleinen Köstlichkeiten.

STUDENTENFUTTER-MUFFINS

ZUTATEN

200 g Studentenfutter

250 g Mehl

1 Msp. Natron

1 Päckchen Backpulver

2 Eier

125 g Zucker

150 g Naturjoghurt

75 ml neutrales Pflanzenöl

100 ml Milch

Außerdem

Butter für die Form

1 Kugelgrill

1 Pizzastein

für 12 Cupcakes

ZUBEREITUNG

Heize deinen Grill auf 180 Grad hoch und bereite ihn für indirektes Grillen vor (siehe Seite 20). Fette die Mulden einer Muffinform mit Butter ein.

Hacke 150 g Studentenfutter und gib es in eine kleine Schüssel – oder lass es auf dem Brett liegen, auf dem du es hackst; dann musst du später weniger abspülen.

Mische das Mehl in einer Schüssel mit dem Natron und dem Backpulver und stelle es beiseite.

Schlage die Eier in einer großen Schüssel schaumig auf. Gib dann Zucker, Joghurt, Öl und Milch dazu und verrühre alles gut. Siebe nun die Mehlmischung über den Teig und rühre sie vorsichtig unter – nicht zu lange, der Teig muss nicht völlig glatt gerührt sein; es dürfen ruhig noch ein paar Mehlklümpchen zu sehen sein.

Rühre das gehackte Studentenfutter unter den Teig. Wenn dann alles gut durchgemischt ist, schnappst du dir einen Eisportionierer oder einen Esslöffel und verteilst den Teig gleichmäßig auf die Mulden des Muffinblechs. Bestreue dann die Teigportionen mit dem restlichen Studentenfutter.

Stell das Muffinblech auf den Pizzastein, schließe den Deckel des Grills und backe die Muffins 20 Minuten. Kontrolliere nach etwa 10 Minuten, wie die Muffins aussehen, und drehe das Muffinblech um 180 Grad. Sie sind fertig, wenn sie schön goldgelb aussehen. Auch beim Grillen schadet ein Stäbchentest nicht.

Nimm sie dann vom Grill und lass sie in der Form vollständig abkühlen oder serviere sie noch lauwarm.

CHAMPAGNER-CUPCAKES

ZUTATEN

150 g weiche Butter
300 g Zucker
450 g Mehl
3 TL Backpulver
1 Prise Salz
180 ml Champagner
6 Eiweiß

Für das Frosting
225 g weiche Butter
350 g Puderzucker
½ TL Vanilleextrakt
3 EL Champagner

Außerdem
12 Papierförmchen

für 12 Cupcakes

ZUBEREITUNG

Heize deinen Ofen auf 180 Grad vor und setze 12 Papierförmchen in die Mulden eines Muffinblechs.

Schlage in einer großen Schüssel die Butter und den Zucker schaumig auf. Mische in einer zweiten Schüssel Mehl, Backpulver und Salz.

Stelle den Rührer auf die niedrigste Geschwindigkeit ein und gib unter Rühren die Mehlmischung abwechselnd mit dem Champagner zum Teig.

Schlage das Eiweiß mit dem Handrührgerät in einer Schüssel steif. (Vorsicht: An den Rührbesen darf kein Fett mehr sein, sonst gelingt der Eischnee nicht!) Verrühre ein Drittel des Eischnees mit dem Teig und hebe die restlichen zwei Drittel vorsichtig mit einem Schneebesen unter.

Backe die Cupcake-Böden auf mittlerer Schiene etwa 20–25 Minuten. Mach einen Stäbchentest und hole die kleinen Leckerbissen aus dem Ofen. Lass sie in der Form komplett abkühlen.

Für das Frosting schlägst du die weiche Butter mit dem Puderzucker auf höchster Stufe schaumig auf. Gib dann den Vanilleextrakt und den Champagner dazu und verrühre nochmals alles kurz.

Gib das Frosting in einen Spritzbeutel mit großer Sterntülle und spritze es gleichmäßig auf die Cupcakes – jetzt steht dem Antrag nichts mehr im Weg!

TIPP

Du kannst auch weiche Schokobonbons in die Mitte der Muffins drücken – das schmeckt ebenfalls ganz hervorragend.

BANANEN-MUFFINS

ZUTATEN

90 ml Milch

60 ml neutrales Pflanzenöl

1 Ei (L)

2 reife Bananen

320 g Mehl

2 TL Backpulver

½ TL Salz

100 brauner Zucker

12–16 weiche Karamell-bonbons

Für die Streusel
50 g brauner Zucker

30 g Mehl

2 EL kalte Butter

Außerdem
12–20 Papierförmchen

für 12-16 Cupcakes

ZUBEREITUNG

Heize den Ofen auf 200 Grad vor und lege eine Muffinform mit 12 Papierförmchen aus.

Vermische in einer großen Schüssel Milch, Öl und Eier mit einem Holzkochlöffel.

Zerdrücke die Bananen mit einer Gabel in einer kleineren Schüssel. (Du solltest die Bananen natürlich vorher schälen). Gib sie dann zur Milch-Öl-Ei-Mischung und verrühre alles gut.

Gib Mehl, Backpulver, braunen Zucker und Salz dazu und vermische wieder alles mit dem Kochlöffel, bis es sich gerade so verbunden hat. Der Teig muss nicht völlig glatt sein. Es dürfen ruhig noch ein paar Mehlklümpchen darin vorkommen.

Fülle den Teig in die Muffinförmchen, sodass diese nur etwa zu zwei Dritteln voll sind. Falls noch Teig übrig bleibt, stecke für jeden weiteren Muffin 2 Papierförmchen ineinander, fülle diese ebenfalls zu zwei Dritteln mit Teig. Drück dann je ein Karamellbonbon in die Mitte des Teigs, bis sich der Teig über dem Bonbon schließt.

Gib alle Zutaten für die Streusel in eine kleine Schüssel und verknete sie mit den Händen schnell zu einem krümeligen Teig – aber nicht zu lange, damit die Butter nicht zu weich wird. Verteile dann die Streusel gleichmäßig auf den Muffins.

Schieb das Muffinblech und ggf. die gefüllten Papierförmchen in den vorgeheizten Ofen. (Wenn du einige Muffins in Papierförmchen backst, solltest du Muffinblech und Förmchen auf ein Backblech statt auf einen Ofenrost stellen, damit die Papierförmchen nicht umkippen.) Da dürfen sie jetzt 20–25 Minuten vor sich hin backen. Nimm sie heraus, wenn sie schön goldgelb sind.

BRIOCHE-MUFFINS

ZUTATEN

80 ml warme Milch

35 g Hefe, zerbröselt

450 g Mehl

2 TL Salz

3 Eier (L) + 1 Ei (L) zum Einstreichen

55 g Zucker

300 g zimmerwarme Butter, gewürfelt

150 g Zartbitterschokolade, grob gehackt

1 EL Wasser

Außerdem
Butter für die Form

für 12 Muffins

ZUBEREITUNG

Mische Milch und Wasser in einer Schüssel. Gib Zucker und Hefe hinein. Verrühre alles, bis sich die Hefe aufgelöst. Dann 10 Minuten ruhen lassen. Siebe Mehl in eine große Schüssel, gib 1 Prise Salz dazu und forme mit einem Löffel eine Mulde in die Mitte. Gieße die Hefemischung hinein und rühre alles mit einem Holzkochlöffel um. Rühre 3 Eier inzeln in den Teig, bis alles gut untergemischt ist. Du musst die Butterwürfel in den Hefeteig kneten, und zwar immer nur 2–3 auf einmal. Erst wenn alles gut verbunden ist, kommen die nächsten Würfel dran. Das kann schon etwas dauern ;-)

Teig in eine Schüssel geben, mit Frischhaltefolie abdecken und an einem warmen Ort 1 Stunde gehen lassen. Schlage dann mit der Faust einmal in die Mitte sodass der Teig zusammenfällt. Stell ihn für 2 Stunden in den Kühlschrank und schlage jede halbe Stunde wieder drauf. Deck die Schüssel wieder mit einer Frischhaltefolie ab und lass sie über Nacht im Kühlschrank stehen. Am nächsten Tag geht's weiter.

Muffinform mit 12 Mulden einfetten. Hol den Teig aus dem Kühlschrank und knete ihn gut durch. Forme eine Rolle daraus, schneide sie in 12 gleich große Stücke und forme Kugeln. Drücke sie platt und verteile Schokolade gleichmäßig auf alle 12 Teigstücke. Gib die Schokolade jeweils in die Mitte, klapp den Teig darüber zusammen und forme wieder Kugeln. Lege die Kugeln in die Mulden der Muffinform, bedecke sie mit Frischhaltefolie und lass sie nochmals 2 Stunden bei Zimmertemperatur gehen. Danach Ofen auf 180 Grad Umluft vorheizen. Schlage das letzte Ei in eine Schüssel und verquirle es mit 1 EL Wasser. Streiche damit die Oberfläche aller Kugeln ein, stell das Muffinblech auf einen Rost und backe die Brioches auf der mittleren Schiene im Backofen 20–25 Minuten, bis sie goldbraun sind. Erst 10 Minuten im Blech lassen und dann zum auskühlen auf ein Kuchengitter legen.

TIPP

Probiere sie doch mal mit deiner Lieblingsmarmelade, mit Schokostreuseln oder Karamellbonbons zu füllen!

DONUT-MUFFINS

ZUTATEN

150 g Butter

150 g Zucker

200 g Mehl

1 TL Backpulver

100 ml Naturjoghurt

2 Eier (L)

1 TL Vanilleextrakt

12 TL Blaubeermarmelade

Für den Zuckermantel

150 g feinster Zucker

2 TL Zimt

Außerdem

Butter für die Form

für 12 Muffins

ZUBEREITUNG

Heize den Ofen auf 180 Grad vor und streiche die Mulden eines Muffinblechs dünn mit Butter aus.

Gib für den Teig die Butter in einen kleinen Topf und zerlasse sie bei niedriger Temperatur. Zieh dann den Topf von der Platte und lass ihn erst mal stehen.

Siebe den Zucker, das Mehl und das Backpulver in eine große Schüssel.

Verquirle in einer weiteren Schüssel Joghurt, Eier und Vanilleextrakt mit einem Schneebesen und gib diese „nassen" Zutaten zusammen mit der zerlassenen Butter zur Mehlmischung. Verrühre alles gründlich mit einem Holzkochlöffel.

Fülle nun in jede Mulde des Muffinblechs 1 gehäuften EL Teig und gib 1 TL Blaubeermarmelade in die Mitte dieser Teigportion. Verteile den restlichen Teig gleichmäßig auf alle Mulden, sodass die Marmelade vollständig abgedeckt ist.

Das Ganze kommt jetzt 15–20 Minuten in den vorgeheizten Ofen auf die mysteriöse mittlere Schiene. Nun kannst du schon mal den Feinstzucker und den Zimt für den Zuckermantel in einem tiefen Teller mischen.

Wenn die Donut-Muffins schön goldbraun sind, darfst du sie aus dem Ofen holen. Lass sie 2–3 Minuten in der Form abkühlen und nimm sie dann vorsichtig heraus; dabei ist ein Messer immer hilfreich. Wälze die Muffins in der Zimt-Zucker-Mischung und lass sie dann auf einem Kuchengitter vollständig auskühlen. Wenn du so lange warten kannst; denn warm schmecken die Teilchen fast noch besser ...

PANCAKE-CUPCAKES

ZUTATEN

Für die Cupcakes
220 g Mehl (Type 405)
1/2 TL Backpulver
1/4 TL Natron | 180 ml Milch
je 1/2 TL Salz und Zimt
120 g weiche Butter
200 g Zucker | 1 Ei (L)
60 g griechischer Joghurt
1 TL Vanilleextrakt

Für die Mini-Pancakes
130 g Mehl (Type 405)
2 TL Backpulver
1 EL Zucker | 1 Prise Salz
1 Ei (L) | 1 EL Pflanzenöl
1 TL Vanilleextrakt
110 g griechischer Joghurt
120 ml Milch | Butter oder Öl

Für das Frosting
120 g Frischkäse
30 g weiche Butter
2 EL Ahornsirup
325 g Puderzucker

Außerdem
Muffinblech, Papierförmchen
Spritzbeutel mit Sterntülle

für 12er Muffinblech (30 x 40 cm)

ZUBEREITUNG

Den Backofen auf 175 °C vorheizen. Ein Muffinblech mit Papierförmchen bestücken. Für die Cupcakes das Mehl mit Backpulver, Natron, Salz und Zimt mischen.

Die Butter mit Zucker in eine große Schüssel geben und auf höchster Stufe hell und luftig aufschlagen. Das Ei zugeben und gut unterrühren. Den Joghurt mit Milch und Vanilleextrakt mischen. Die Mehlmischung abwechselnd mit der Joghurtmischung in die Schüssel geben und nur kurz verrühren. Den Teig zu etwa drei Vierteln Höhe in die Papierförmchen füllen und 20–22 Minuten backen. Mit einem Zahnstocher testen, ob noch Teig daran haftet und erst herausnehmen, wenn der Zahnstocher sauber herauskommt. Aus dem Ofen nehmen und auf einem Kuchengitter komplett auskühlen lassen.

Für die Pancakes das Mehl mit Backpulver, Zucker und 1 Prise Salz in einer großen Schüssel vermischen. In einer zweiten Schüssel das Ei mit Öl, Vanilleextrakt, Joghurt und Milch mischen. Alles in die Schüssel mit dem Mehl geben und gut verrühren. Eine Pfanne mit etwas Butter oder Öl auf mittlere Temperatur erhitzen. Jeweils etwa 1 Esslöffel Teig in die Pfanne geben und von beiden Seiten goldbraun braten – es werden mindestens 24 kleine Pancakes benötigt. Zur Seite stellen und abkühlen lassen.

Für das Frosting den Frischkäse auf Zimmertemperatur mit der Butter bei niedriger Geschwindigkeit verrühren. Den Ahornsirup zugeben und unterrühren. Den Puderzucker in kleinen Portionen zugeben und ebenfalls unterrühren. Das Frosting in einen Spritzbeutel mit Sterntülle füllen, auf die Cupcakes spritzen und je zwei Pancakes pro Cupcake auf das Frosting legen. Mit Ahornsirup servieren.

OREO-CUPCAKES

ZUTATEN

Für die Cupcakes
220 g Mehl (Type 405)

30 g Kakaopulver

1/2 TL Backpulver

1/4 TL Natron

1/2 TL Salz 100 g Zucker

120 g Butter | 180 ml Milch

100 g brauner Zucker

1 Ei (L) 60 g Schmand

1 TL Vanilleextrakt

6 Oreo®-Kekse

Für das Frosting
175 g weiche Butter

175 g Mascarpone (auf Zimmertemperatur)

2 TL Vanilleextrakt

400–500 g Puderzucker

1–2 EL Sahne, nach Belieben

Für die Dekoration

12–14 Oreo®-Kekse

Außerdem
Muffinblech mit 12 Mulden

Papierförmchen

Spritzbeutel mit Sterntülle

für 12-14 Cupcakes

ZUBEREITUNG

Den Backofen auf 175 °C vorheizen. Ein Muffinblech mit Papierförmchen bestücken. Das Mehl mit Kakao, Backpulver, Natron und Salz mischen. Die Butter schmelzen.

Die geschmolzene Butter in einer großen Schüssel mit beiden Zuckersorten aufschlagen, bis alles gut verbunden ist. Das Ei zugeben und gut unterrühren. Den Schmand mit Milch und Vanilleextrakt verrühren. Die Mehlmischung abwechselnd mit der Schmandmischung in die Schüssel geben und kurz unterrühren. Die Oreo®-Kekse zerbrechen und unter den Teig heben. Den Teig zu etwa drei Vierteln Höhe in die Papierförmchen füllen und 20–22 Minuten backen. Mit einem Zahnstocher testen, ob noch Teig daran haftet und erst herausnehmen, wenn der Zahnstocher sauber herauskommt. Aus dem Ofen nehmen und auf einem Kuchengitter ganz abkühlen lassen.

Für das Frosting die Butter in eine große Schüssel geben und auf höchster Stufe hell und luftig aufschlagen. Mascarpone und Vanilleextrakt zugeben und gut unterrühren. Den Puderzucker nach und nach zugeben und unterrühren. Sollte das Frosting zu fest sein, noch etwas Sahne zugeben und verrühren, bis die Konsistenz stimmt. In einen Spritzbeutel mit Sterntülle füllen und die Cupcakes mit einer Haube versehen. Auf jeden Cupcake einen Oreo®-Keks stecken und mit Keksbröseln bestreuen.

MINI-FUNFETTI-CUPCAKES

ZUTATEN

Für die Cupcakes
220 g Mehl (Type 405)
1/2 TL Backpulver
1/4 TL Natron
1/2 TL Salz
120 g Butter
200 g Zucker
1 Ei (L)
60 g Joghurt
180 ml Milch
1 TL Vanilleextrakt
Schale 1/2 unbehandelten Zitrone
100 g bunte Zuckerperlen

Für die Buttercreme
170 g weiche Butter
360 g Puderzucker
2 TL Vanilleextrakt
60 ml Sahne
Salz, nach Belieben

Außerdem
2 Mini-Muffinbleche
Papierförmchen
Spritzbeutel (runde Tülle)

für 40-45 Mini-Cupcakes

ZUBEREITUNG

Den Backofen auf 175 °C vorheizen. Zwei Mini-Muffinbleche mit Papierförmchen bestücken. Für den Teig das Mehl mit Backpulver, Natron und Salz mischen.

Die Butter schmelzen und etwas abkühlen lassen. Mit dem Zucker in eine große Schüssel geben und gut verrühren. Das Ei, Joghurt, Milch, Vanilleextrakt und die Zitronenschale zugeben und gut verrühren. Die Mehlmischung mit einem Spatel unterheben. Die bunten Zuckerperlen vorsichtig und nur kurz unterheben – je länger gerührt wird, umso mehr Farbe geben die Zuckerperlen ab. Den Teig auf die Papierförmchen verteilen und 9–12 Minuten backen. Mit einem Zahnstocher testen, ob noch Teig daran haftet und erst herausnehmen, wenn der Stocher sauber herauskommt. Auf einem Kuchengitter vollständig abkühlen lassen.

Für das Frosting die Butter in eine große Schüssel geben und auf höchster Stufe hell und luftig aufschlagen. Puderzucker und Vanilleextrakt zugeben und auf niedriger Stufe verrühren. Die Sahne zugeben und auf höchster Stufe für einige Minuten aufschlagen, bis die Creme glatt ist. Sollte die Buttercreme zu süß sein, 1 Prise Salz zugeben und unterrühren. Die Creme in einen Spritzbeutel mit runder Tülle füllen und auf die Cupcakes spritzen. Mit bunten Zuckerperlen bestreuen.

BLUEBERRY-STREUSEL-MUFFINS

Für die Streusel
100 g Mehl (Type 405)
50 g Zucker
1/4 TL Vanilleextrakt
60 g weiche Butter

Für den Teig
260 g Mehl (Type 405)
2 TL Backpulver
200 g brauner Zucker
1/4 TL Salz
120 g Butter
120 ml Milch
1 TL Vanilleextrakt
2 Eier
100 g frische Blaubeeren

Außerdem
Muffinblech mit 12 Mulden
Papierförmchen

für 12 Cupcakes

ZUBEREITUNG

Für die Streusel das Mehl mit dem Zucker in einer Schüssel mischen, Vanilleextrakt und Butter zugeben und alles mit den Fingern zu dicken Streuseln verarbeiten. Bis zur weiteren Verwendung in den Kühlschrank stellen.

Den Backofen auf 180 °C vorheizen. Ein Muffinblech mit Papierförmchen bestücken. Die Blaubeeren waschen und abtropfen lassen.

Für den Teig das Mehl mit Backpulver, Zucker und Salz in einer großen Schüssel verrühren. Die Butter schmelzen und wieder etwas abkühlen lassen, dann mit Milch, Vanilleextrakt und Eiern verquirlen. Alles in die Schüssel mit dem Mehl geben und kurz verrühren. Die Heidelbeeren zugeben und vorsichtig unterheben. Den Teig zu etwa drei Vierteln Höhe in die Papierförmchen füllen. Die Streusel auf dem Teig verteilen und 20–25 Minuten backen. Mit einem Zahnstocher testen, ob noch Teig daran haftet und erst herausnehmen, wenn der Zahnstocher sauber herauskommt. Aus dem Ofen nehmen, kurz in der Form abkühlen lassen, herausnehmen und auf einem Kuchengitter komplett auskühlen lassen.

BANANA-ALMOND-MUFFINS

ZUTATEN

Für die Streusel
20 g Bananenchips
35 g Mehl (Type 405)
20 g gehobelte Mandeln
2 EL Haferflocken
2 EL brauner Zucker
1/4 TL Zimt | 1 Prise Salz
45 g weiche Butter

Für den Teig
2 reife Bananen
200 g Mehl (Type 405)
1 TL Backpulver
1/2 TL Natron
1/4 TL Salz | 1/4 TL Zimt
1/4 TL Piment
1 Prise geriebene Muskatnuss
2 Eier (L) | 2 EL Honig
60 ml Buttermilch
60 ml Pflanzenöl
1/2 TL Vanilleextrakt

Außerdem
Muffinblech mit 12 Mulden
Butter für die Form/ Papierförmchen

für 12 Cupcakes

ZUBEREITUNG

Den Backofen auf 180 °C vorheizen. Ein Muffinblech einfetten oder mit Papierförmchen bestücken. Die Bananenchips zerbröseln.

Für die Streusel das Mehl mit Bananenchips, Mandeln, Haferflocken, braunem Zucker, Zimt und 1 Prise Salz mischen. Die Butter zugeben und alles mit den Fingern zu Streuseln verarbeiten. Bis zur weiteren Verwendung in den Kühlschrank stellen.

Für den Teig die Bananen zerdrücken. Das Mehl mit Backpulver, Natron, Salz, Zimt, Piment und Muskatnuss mischen. Die Eier mit zerdrückten Bananen, Buttermilch, Öl, Honig und Vanilleextrakt in einer großen Schüssel verrühren. Die Mehlmischung zugeben und nur kurz verrühren. Den Teig zu etwa zwei Dritteln Höhe in die Papierförmchen füllen. Die Streusel auf dem Teig verteilen und 18–20 Minuten backen. Mit einem Zahnstocher testen, ob noch Teig daran haftet und erst herausnehmen, wenn der Zahnstocher sauber herauskommt. Aus dem Ofen nehmen, kurz in der Form abkühlen lassen und auf einem Kuchengitter komplett auskühlen lassen.

DOUBLE-CHOCOLATE-MUFFINS

ZUTATEN

240 ml Milch
1 EL Weißweinessig
300 g Mehl (Type 405)
80 g Kakaopulver
1 EL Backpulver
1/2 TL Natron
1/4 TL Salz
115 g Butter
150 g Zartbitterschokolade
200 g Zucker
50 g brauner Zucker
2 Eier
1/2 TL Vanilleextrakt

Außerdem
2 Muffinbleche mit 12 Mulden
Papierförmchen

für 15-18 Muffins

ZUBEREITUNG

Den Backofen auf 200 °C vorheizen. Ein Muffinblech mit Papierförmchen bestücken.

Die Milch mit dem Essig mischen und 5–8 Minuten stehen lassen, damit die Milch andicken kann. Das Mehl mit Kakao, Backpulver, Natron und Salz mischen. Die Butter schmelzen und etwas abkühlen lassen. Die Zartbitterschokolade hacken.

Die beiden Zuckersorten mit der geschmolzenen Butter in einer großen Schüssel verrühren. Angedickte Milch, Eier und Vanilleextrakt zugeben und gut verrühren. Die Mehlmischung zugeben und nur kurz verrühren. Etwa zwei Drittel der gehackten Schokolade unterheben. Den Teig zu etwa drei Vierteln Höhe in die Papierförmchen füllen und mit der restlichen Schokolade bestreuen. Im Ofen 18–20 Minuten backen. Mit einem Zahnstocher testen, ob noch Teig daran haftet und erst herausnehmen, wenn der Zahnstocher sauber herauskommt. Aus dem Ofen nehmen und auf einem Kuchengitter komplett abkühlen lassen.

LIMETTEN-CUPCAKES

ZUTATEN

Für den Limetten-Curd
150 g Butter
130 ml Limettensaft (das entspricht 4–5 Limetten)
250 g Zucker
5 Eier (Größe M)

Für die Muffins
170 g weiche Butter
170 g Zucker
1 Päckchen Vanillezucker
Salz | 4 Eier (Größe M)
½ Päckchen Backpulver (ca. 8 g)
350 g Weizenmehl (Type 405)
150 g Limetten-Curd
60 ml Limettensaft

Für das Frosting
100 g Puderzucker
100 g Butter (Zimmertemperatur)
100 g Frischkäse (Zimmertemperatur)

Außerdem
Muffinförmchen
Spritztülle
etwas Abrieb von 1 Bio-Limette

für 12 Cupcakes

ZUBEREITUNG

Für den Limetten-Curd die Butter in einem Topf schmelzen. Den Limettensaft dazugießen und den Zucker einrühren. Alles unter Rühren erwärmen, sodass der Zucker schmilzt.

Anschließend die Eier mit einem Schneebesen aufschlagen und verquirlen. Durch ein Sieb in die warme (aber NICHT kochende!) Limettenmischung einrühren. 10–20 Minuten auf dem Herd bei mittlerer Hitze aufschlagen, bis die Masse beginnt, dick zu werden. Der Curd darf dabei keinesfalls kochen, da sonst das Ei gerinnt. In ein verschließbares Glas abfüllen und komplett auskühlen lassen.

Den Backofen auf 170 °C Umluft (190 °C Ober-/Unterhitze) vorheizen.

Für die Muffins die weiche Butter mit dem Zucker und dem Vanillezucker cremig rühren. Eine Prise Salz dazugeben und die Eier nacheinander unterrühren. Backpulver und Mehl mischen und hinzufügen. Zum Schluss den Limetten-Curd sowie den Limettensaft dazugeben und alles zu einem cremigen Teig verrühren. Den Rührteig in Muffinförmchen füllen (zu etwa drei Vierteln voll) und 20–25 Minuten auf der mittleren Schiene backen. Den Stäbchentest machen, um sicherzugehen, dass der Teig durchgebacken ist. Die Muffins nach dem Backen komplett auskühlen lassen.

Für das Frosting den Puderzucker mit der Butter schaumig schlagen und den Frischkäse löffelweise unter Rühren dazugeben. In eine Spritztülle füllen und auf die Muffins spritzen. Wenn das Frosting etwas zu weich ist, stellt man es vor dem Spritzen einfach noch 10–20 Minuten in den Kühlschrank.

Zum Abschluss die Limetten-Cupcakes mit etwas abgeriebener Limettenschale bestreuen.

TIPP

Verwendet statt braunem Zucker Kokosblütenzucker, für die Extraportion Karibik!

GESTÜRZTE ANANAS-DONUTS

ZUTATEN

1 frische Ananas

120 g Weizenmehl (Type 405)

110 g brauner Zucker

½ TL Salz

1 TL Backpulver

½ TL Zimt

60 ml Milch

60 ml Ananassaft

35 g Butter, geschmolzen

1 Ei (Größe L)

Außerdem

Donut-Blech mit 6 Mulden

Butter für die Form

6 EL brauner Zucker für die Form

für 6 Donuts

ZUBEREITUNG

Den Backofen auf 160 °C Umluft (180 °C Ober-/Unterhitze) vorheizen. Eine 6er-Donutform einfetten und die Vertiefungen mit je einem Esslöffel braunen Zucker ausstreuen.

Die Ananas schälen, sechs etwa 1,5 cm dicke Scheiben abschneiden und mit einem kleinen Kreisausstecher oder einem Messer den Strunk in der Mitte der Scheiben entfernen. Die Ananasscheiben in die Mulden des Donut-Blechs legen. Sie sollten ganz unten am Boden der Form aufliegen. Wenn sie zu groß sind, ein kleines Stück aus dem Ring herausschneiden.

Mehl, braunen Zucker, Salz, Backpulver und Zimt in einer großen Schüssel vermischen.

In einer weiteren Schüssel die Milch, den Ananassaft, die geschmolzene Butter und das Ei verquirlen und anschließend zu den trockenen Zutaten geben. Alles vorsichtig vermengen.

Den Teig gleichmäßig auf den sechs Ananasscheiben verteilen. Die Vertiefungen sollten zu etwas mehr als zwei Dritteln gefüllt sein. Wenn Teig übrig bleiben sollte, einfach weitere Donuts daraus backen. Die Donuts auf der mittlerern Schiene 10–12 Minuten backen, bis die Oberseite schön goldgelb ist.

Die Form aus dem Ofen holen und auf einem Kuchengitter 10 Minuten abkühlen lassen, dann vorsichtig stürzen.

TIPP

Probiert den Mangoguss doch auch mal auf Amerikanern aus … schmeckt genauso lecker und ist mal etwas anderes!

MANGO-HEFEKNOTEN MIT GUSS

ZUTATEN

Für den Teig
220 ml lauwarme Milch
½ Würfel Hefe
70 g Zucker
80 g weiche Butter
500 g Weizenmehl (Type 405)
Salz

Für die Füllung
1 reife Mango
1 Eiweiß
1 Eigelb
Für den Guss
100 g Puderzucker
2–3 EL Mangosaft
Kokoschips

Außerdem
Mehl zum Ausrollen

für 24 Stück

ZUBEREITUNG

Die Milch in einem kleinen Topf vorsichtig erwärmen (nicht zu heiß, sonst arbeitet die Hefe nicht mehr; etwa 35 °C sind optimal). Die Hefe in die Milch bröckeln und gut einrühren. Zucker und Butter ebenfalls dazugeben und verrühren. Das Mehl und eine Prise Salz in einer Schüssel mischen und die Hefemischung dazugeben.Mit den Knethaken der Küchenmaschine zu einem geschmeidigen Teig verkneten. Wenn sich der Teig vom Schüsselrand löst, ist er fertig. Falls er zu klebrig ist, einfach Mehl hinzufügen. Den Teig in eine Schüssel geben und abgedeckt etwa 1 Stunde an einem warmen Ort gehen lassen. Währenddessen die Mango schälen, vom Kern lösen und in sehr kleine Würfel schneiden.

Den Backofen auf 180 °C Umluft (200 °C Ober-/Unterhitze) vorheizen und ein Backblech mit Backpapier belegen. Den Teig auf einer leicht bemehlten Arbeitsfläche zu einem Rechteck ausrollen und mit dem Eiweiß bepinseln. Zwei Drittel der Mangowürfel darauf verteilen. Nun etwa ein Drittel des Teiges von der kurzen Seite her zur Mitte klappen, dann die andere kurze Seite daraufklappen, sodass ein dreilagiger Teig entsteht. Die Teigplatte von der kurzen Seite her in etwa zehn dünne Streifen schneiden. Jeden Streifen mehrmals in sich verdrehen und einen Knoten machen. Die Enden unter dem Knoten andrücken. Die Knoten mit ausreichend Abstand zueinander auf das Blech geben und abgedeckt 20 Minuten gehen lassen. Die Knoten mit dem Eigelb bestreichen und mit der restlichen Mango bestreuen. Dann etwa 15 Minuten im Backofen auf der mittleren Schiene backen oder bis die Knoten schön goldgelb geworden sind. Dann aus dem Ofen nehmen und auf einem Kuchengitter vollständig abkühlen lassen.Für den Guss den Puderzucker mit Mangosaft glatt rühren und über den Knoten verteilen. Mit Kokoschips bestreuen.

TIPP

Make it Chai: Benutzt statt Earl-Grey-Tee einfach Chai-Tee – schmeckt auch sehr lecker!

EARL GREY DONUTS MIT GLASUR

ZUTATEN

Für den Teig
240 ml Mandelmilch
4 Teebeutel Earl-Grey-Tee
60 ml Sonnenblumenöl
100 g brauner Zucker
1 TL flüssiges Vanille-Extrakt
270 g Weizenmehl (Type 405)
1 ½ TL Backpulver
½ TL Salz
Für die Johannisbeerglasur
200 g Puderzucker
3–4 EL Schwarze-Johannisbeersaft

Außerdem
12er-Donutblech
Butter für die Form
Spritz- oder Gefrierbeutel
getrocknete Rosenblüten für die Deko, nach Belieben
kandierte Veilchen für die Deko, nach Belieben

für 12 Stück

ZUBEREITUNG

Den Ofen auf 140 °C Umluft (160 °C Ober-/Unterhitze) vorheizen. Das Donutblech einfetten.

Die Hälfte der Mandelmilch in einem kleinen Topf aufkochen, vom Herd nehmen und die Teebeutel darin 10 Minuten ziehen lassen. Dann die Beutel gut ausdrücken und entnehmen.

Die Earl-Grey-Milch, die andere Hälfte der Mandelmilch, Sonenblumenöl, Zucker und Vanille-Extrakt in einer großen Schüssel vermischen und 10 Minuten stehen lassen.

In einer kleinen Schüssel Mehl, Backpulver und Salz vermischen, eine kleine Mulde bilden und die flüssigen Zutaten hineingeben. Vorsichtig verrühren, bis alle Klümpchen gelöst sind.

Den Teig in einen Spritz- oder Gefrierbeutel füllen und die Spitze abschneiden. Damit den Teig gleichmäßig auf die Formen verteilen. Die Formen sollten zu zwei Dritteln gefüllt sein. Im Backofen auf der mittleren Schiene etwa 15 Minuten backen, bis die Donuts schön golden sind. Dann herausnehmen, 5 Minuten im Blech abkühlen lassen und vorsichtig auf ein Kuchengitter legen. Vollständig erkalten lassen.

Für die Glasur den Puderzucker mit dem Johannisbeersaft vermischen, bis alle Klümpchen gelöst sind. Die Konsistenz sollte nicht zu flüssig sein. Bei Bedarf etwas Puderzucker hinzufügen.

Die Donuts kopfüber in die Glasur tauchen, die überschüssige Glasur abschütteln und auf dem Kuchengitter trocknen lassen. Je nach Wunsch noch mit Rosenblüten oder kandierten Veilchen verzieren.

TIPP

Um die Törtchen gut aus der Form lösen zu können, ist Tortenrandfolie zum Auskleiden der Dessertringe ideal.

MANGO-MOUSSE-TÖRTCHEN

ZUTATEN

Für die Böden
150 g Butterkekse
60 g Butter
3 EL brauner Zucker

Für die Mango-Mousse
150 g Mangofruchtfleisch (frisch oder aus der Dose)
100 ml Mangosaft
Saft von ½ Zitrone
1 Beutel pflanzliches Geliermittel (z. B. Agartine)
2 Eiweiß | 35 g Zucker
75 g Sahne
1 TL Puderzucker

Für die Pfirsichschicht
150 ml Pfirsichsaft
3 EL Zucker
½ Beutel pflanzliches Geliermittel (z. B. Agartine)

Außerdem
1 Gefrierbeutel
Nudelholz
6 Dessertringe mit je 8 cm Ø
6 EL Kokosraspel
18 Zebra-Schokoröllchen

für 6 Stück

ZUBEREITUNG

Für die Törtchenböden die Butterkekse in einen Gefrierbeutel geben und mit einem Nudelholz in kleine Stücke zerbröseln. Ein Backblech mit Backpapier auslegen und die Dessertringe mit etwas Abstand daraufsetzen.

Die Butter zerlassen und mit dem braunen Zucker unter die Kekskrümel rühren. Die Keksmasse auf die Dessertringe verteilen, fest andrücken und bis zur weiteren Verwendung in den Kühlschrank stellen.

Inzwischen die Mango in kleine Stücke schneiden und mit Mangosaft, Zitronensaft und dem pflanzlichen Geliermittel in einem Topf aufkochen und 1–3 Minuten kochen lassen. Die Masse pürieren, in eine Rührschüssel füllen und etwa 10 Minuten abkühlen lassen.

Die Eiweiße steif schlagen, dabei nach und nach den Zucker einrieseln lassen. Den Eischnee langsam unter die Mangomasse heben. Die Sahne mit dem Puderzucker steif schlagen und unterheben. Die Mousse gleichmäßig auf die Dessertringe verteilen und in den Kühlschrank stellen.

Für die Pfirsichschicht den Pfirsichsaft mit Zucker und Geliermittel in einem Topf aufkochen und 1–3 Minuten kochen lassen. Anschließend die Masse ebenfalls gleichmäßig auf die Dessertringe verteilen. Die Törtchen für Mindestens 3 Stunden in den Kühlschrank stellen und die Schichten fest werden lassen.

Die Mango-Mousse-Törtchen mit Kokosraspeln und Zebra-Schokoröllchen verzieren und servieren.

TIPP

Hefeteig mit untergelegten Handtüchern auf der Heizung oder an einem anderen warmen Ort gehen lassen.

PUDDINGSCHNECKEN

ZUTATEN

Für den Hefeteig
500 g Weizenmehl (Type 405)
200 ml Milch
1 Würfel Hefe (42 g)
80 g Butter
1 Ei (M)
Salz

Für die Füllung
300 ml Milch
1 Päckchen Vanillepuddingpulver
20 g Zucker
100 g Crème fraîche

Für den Zuckerguss
120 g Puderzucker
1 TL Vanillezucker

Außerdem
Mehl für die Arbeitsplatte
Esskonfetti zum Bestreuen

für 20 Stück

ZUBEREITUNG

Das Mehl in eine Schüssel geben. Die Milch erwärmen, bis sie lauwarm ist. Die Hefe dazubröckeln und unter Rühren darin auflösen. Die Hefemilch mit dem Mehl verrühren. Butter, Ei und 1 Prise Salz hinzufügen und alles zu einem glatten Teig verkneten. Den Teig abgedeckt an einem warmen Ort 30 Minuten gehen lassen.

Inzwischen für die Füllung die Milch in einem Topf aufkochen. Den Topf vom Herd nehmen und das Vanillepuddingpulver zügig unterrühren, damit es nicht klumpt. Den Zucker dazugeben und unter den Pudding rühren. Den Pudding beiseitestellen und abkühlen lassen. Dann die Crème fraîche unterheben.

Für den Guss den Puderzucker mit Vanillezucker und 4 Esslöffel Wasser zu einem zähen Guss anrühren.

Ein Backblech mit Backpapier auslegen. Den Hefeteig auf einer bemehlten Arbeitsplatte zu einem großen, etwa 1/2 cm dicken Rechteck ausrollen und mit der Puddingmasse bestreichen. Den Teig von der langen Seite her aufrollen und die Teigrolle mit einem scharfen Messer in 20 etwa 1–1,5 cm dicke Scheiben schneiden. Die Schnecken auf das Blech legen, abdecken und an einem warmen Ort 10 Minuten gehen lassen.

Den Backofen auf 180 °C Ober-/Unterhitze vorheizen und die Schnecken 15–20 Minuten backen. Die Schnecken herausnehmen, kurz abkühlen lassen, mit Guss bestreichen und mit Esskonfetti bestreuen.

APFELKUCHEN AM STIEL

ZUTATEN

Für den Teig

300 g Mehl

1 TL Salz

1 EL Zucker

225 g kalte Butter

Für die Füllung

1 Apfel

250 ml Apfelsaft

1 Zimtstange (optional)

½ Päckchen Vanille-pudding

Zum Zusammensetzen

1 Eigelb

2 EL Milch

Außerdem

Backbleche

großer runder Ausstecher (Ø 8½ cm)

kleine Keksausstecher (optional)

13 Holzstiele

für 13 Stück

ZUBEREITUNG

Mehl mit Salz und Zucker in einer Rührmaschine vermengen, kalte Butter in kleinen Stückchen hinzugeben und zu einer krümeligen Masse verrühren.

3 Esslöffel Wasser hinzugeben und zu einem Teig verkneten. In Frischhaltefolie wickeln und 30 Minuten kalt stellen.

Den Apfel schälen, waschen und raspeln. Apfelsaft mit Zimtstange (nach Belieben) aufkochen. Anschließend die Zimtstange entfernen und den Pudding nach Packungsbeschreibung gemeinsam mit dem Apfelsaft kochen.

Fertigen Apfelpudding über die geraspelten Äpfel gießen und vermengen.

Den Ofen auf 180 °C Umluft vorheizen. Den Teig auf einer bemehlten Fläche ausrollen und 26 Kreise ausstechen. Aus der Hälfte der Kreise kann man mit den kleinen Keksausstechern zusätzlichen Teig dekorativ ausstechen.

Auf die zweite Hälfte der Teigkreise jeweils einen Holzstiel und 1 Teelöffel Apfelmasse geben.

Anschließend den Rand mit kaltem Wasser bepinseln und mit einem zweiten, dekorativ ausgestochenen Teigkreis bedecken. Den Rand mit einer Gabel aneinanderdrücken.

Das Eigelb mit etwas Milch vermengen und den oberen Teigkreis damit bepinseln.

Die Apfelkuchen nun 15–20 Minuten backen. Vor dem Servieren gut abkühlen lassen.

TIPP

Diese Brownies schmecken auch mit anderen Nüssen. Probier zum Beispiel mal Pecannüsse aus.

WHISKEY-BROWNIES

ZUTATEN

120 g Mehl

½ TL Natron

½ TL Salz

110 g Zucker

75 g weiche Butter

2 EL Wasser

170 g gehackte Zartbitterschokolade

1 TL Vanilleextrakt

2 Eier

100 g Walnüsse, grob gehackt

125 ml Whiskey

für 1 Brownieform (22 x 22 cm)

ZUBEREITUNG

Heize den Ofen auf 180 Grad vor. Lege die Brownieform mit Backpapier aus.

Mische das Mehl in einer kleinen Schüssel mit Natron und Salz und stelle sie beiseite. Gib den Zucker, die Butter und das Wasser in einen mittelgroßen Topf und erhitze alles, bis es leicht zu köcheln beginnt. Gib dann die gehackte Schokolade und den Vanilleextrakt dazu und rühre so lange um, bis alles gut verbunden ist. Nimm den Topf vom Herd und schlage jedes Ei 30 Sekunden lang mit einem Schneebesen unter die Mischung.

Siebe dann das Mehl über die Schokoladenmischung und rühre es ebenfalls gut unter. Als Letztes gibst du die Nüsse dazu.

Gieße den Teig in die Form, streiche ihn glatt und backe die Brownies auf der mittleren Schiene etwa 25–30 Minuten. Kontrolliere nach 25 Minuten mit einem Holzspieß, ob die Brownies am Rand schon fertig sind. In der Mitte dürfen sie ruhig noch etwas weich sein, dann werden sie schön saftig.

Hol die Brownies aus dem Ofen, beträufle sie mit dem Whiskey und lass sie dann komplett abkühlen. Du kannst den Whiskey auch in eine Spritze ohne Nadel füllen (die gibt's in der Apotheke) und die Brownies damit „impfen"; so verteilst du den Whiskey noch gleichmäßiger. Wenn die Brownies vollständig ausgekühlt sind, hebst du sie einfach samt dem Backpapier aus der Form und schneidest sie in die gewünschte Größe.

BISKUITROLLEN-LOLLIES

ZUTATEN

Für den Teig
4 Eier
1 EL Zitronensaft
120 g Zucker
100 g Dinkelmehl
1 EL Speisestärke

Für die Füllung
200 g Sahne
200 g Zartbitterschokolade
50 g Butter

Außerdem
Zucker für das Backpapier
bunte Zuckerperlen
12 Eisstiele aus Holz

für 15 Stück

ZUBEREITUNG

Den Backofen auf 200 °C (Ober-/Unterhitze) vorheizen. Ein Backblech (ca. 20 x 30 cm) mit Backpapier belegen. Die Eier trennen. Das Eiweiß mit dem Zitronensaft halbsteif schlagen, dann den Zucker einrieseln lassen und weiterschlagen, bis der Eischnee ganz fest ist.

Das Mehl mit der Speisestärke vermischen. Das Eigelb auf den Eischnee geben, die Mehlmischung daraufsieben und alles unterziehen. Die Biskuitmasse auf das Backblech geben, glatt streichen und im heißen Ofen (Mitte) 10–12 Minuten backen.

Inzwischen einen Bogen Backpapier bereitlegen und mit Zucker bestreuen. Die gebackene Biskuitplatte aus dem Ofen nehmen und sofort auf das Papier stürzen, das mitgebackene Backpapier mit kaltem Wasser bestreichen und vorsichtig vom Biskuitboden abziehen. Die Biskuitplatte mit dem unteren (gezuckerten) Backpapier sofort aufrollen und abkühlen lassen.

Für die Füllung die Sahne aufkochen lassen. Vom Herd nehmen. Die Schokolade hacken und in der heißen Sahne schmelzen. Butter in Stücke schneiden und unter die Schokoladensahne rühren, sodass sie ebenfalls schmilzt.

Die Schokocreme auskühlen lassen. Anschließend mit den Quirlen des Handrührgeräts cremig aufschlagen. Die ausgekühlte Biskuitrolle auseinanderrollen, Papier entfernen, mit zwei Dritteln der Creme bestreichen und wieder sehr eng aufrollen. Die Rolle in Frischhaltefolie wickeln und 3 Stunden kalt stellen.

Biskuitrolle auspacken. Die restliche Creme leicht erwärmen, die Rolle rundherum damit bestreichen und in den Zuckerperlen wälzen. In etwa 2 cm dicke Scheiben schneiden, auf Eisstiele stecken und reinbeißen.

DONUTS MIT KÜRBISFÜLLUNG

ZUTATEN

Für den Teig
450 g Mehl
60 g Zucker
1 TL Salz
2 Eier
200 ml lauwarme Milch
½ Würfel Hefe, 21 g
80 g weiche Butter

Für die Füllung
150 g Kürbisfruchtfleisch
3–4 EL Apfelsaft
40 g Zucker
½ TL geriebener Ingwer
1 Prise Zimt

Für die Glasur
125 g Puderzucker
1–2 TL Orangensaft
Lebensmittelfarbe in Orange
50 g Kürbiskerne, grob gehackt

Außerdem
Kreisausstecher
Pflanzenöl zum Frittieren
Fritteuse

für 12 Stück

ZUBEREITUNG

Für den Teig das Mehl in einer Schüssel mit dem Zucker und dem Salz vermischen. Eine Mulde in die Mitte drücken. Eier, Milch, Hefe sowie die Butter in Stückchen hineingeben.

Alle Zutaten mit den Knethaken des Handrührgeräts gründlich verkneten, bis ein weicher Teig entstanden ist, der sich vom Schüsselrand löst. Nun den Teig zugedeckt an einem warmen Ort ungefähr 1 Stunde gehen lassen.

Inzwischen für die Füllung das Kürbisfruchtfleisch klein würfeln und mit Apfelsaft, Zucker, Ingwer und Zimt in einen Topf geben. Den Kürbis in 10–15 Minuten weich köcheln lassen. Anschließend mit dem Stabmixer pürieren und die Masse erkalten lassen.

Den Teig in zwölf gleich große Stücke schneiden. Diese in ca. 1,5 cm dicke und 8 cm große Kreise ausrollen. Mit einem Küchentuch abdecken und ca. 30 Minuten ruhen lassen. Anschließend in jeden Teigkreis mittig ein kleines Loch von ca. 2 cm ausstechen.

Das Fett in der Fritteuse auf 150 °C erhitzen und die Donuts darin portionsweise etwa 2 Minuten je Seite ausbacken. Danach herausheben und auf Küchenpapier abtropfen lassen.

Das Kürbismus in einen Spritzbeutel mit kleiner Lochtülle füllen und an mehreren Stellen rundherum in die Donuts spritzen.

Für die Glasur den Puderzucker mit dem Orangensaft zu einem Guss verrühren. Mit Lebensmittelfarbe leuchtend orange einfärben. Die Donuts mit der Glasur bestreichen, mit den Kürbiskernen bestreuen und die Glasur fest werden lassen.

SCHOKOLADEN-HOLUNDER MUFFINS

ZUTATEN

Für den Teig

250 g Dolden mit reifen Holunderbeeren

120 ml Apfelsaft

100 g Zartbitterkuvertüre

100 g Butter

1 Ei

100 g saure Sahne

100 g Zucker

250 g Mehl

2 TL Speisestärke

1 TL Backpulver

2 EL Kakaopulver

1 Prise Salz

Außerdem

12er-Muffinblech

12 Papierförmchen

Kakaopulver zum Bestäuben

für 12 Stück

ZUBEREITUNG

Die Holunderdolden abbrausen, abtropfen lassen und die Beeren von den Dolden streifen. Das funktioniert gut mit den Zinken einer Gabel.

Holunderbeeren mit dem Apfelsaft in einem Topf zugedeckt aufkochen und etwa 2 Minuten kochen lassen. Vom Herd nehmen und offen auskühlen lassen. In ein Sieb gießen und gut abtropfen lassen, den Saft dabei auffangen. Die Beeren und den Saft beiseitestellen.

Den Backofen auf 180 °C (Ober-/Unterhitze) vorheizen. Das Muffinblech mit den Papierfömchen auskleiden. Die Schokolade hacken. Butter und Schokolade zusammen in einem kleinen Topf unter Rühren erhitzen und schmelzen lassen. Vom Herd nehmen und abkühlen lassen.

In einer Schüssel das Ei mit der sauren Sahne, dem Zucker und etwa 120 ml vom aufgefangenen Holunderbeer-Apfelsaft cremig schlagen. Mehl, Speisestärke, Backpulver, Kakaopulver und Salz in einer zweiten Schüssel vermischen.

Die Milchmischung und die Schokobutter unter die Mehlmischung rühren (nicht zu kräftig!), bis eine homogene Masse entstanden ist. Nach Bedarf noch etwas Saft hinzufügen. Die abgetropften Beeren unter die Masse ziehen.

Die Masse auf die Förmchen verteilen und im vorgeheizten Ofen 20–25 Minuten backen. Anschließend die Muffins kurz abkühlen lassen, aus dem Blech nehmen und vollständig auskühlen lassen. Mit Kakao bestäuben und servieren.

TIPP

Lychees durchandere Früchte ersetzen. Von Apfel bis Zwetschge geht eigentlich alles.

LYCHEE-CUPCAKES

ZUTATEN

Für den Teig
12 Lychees
175 g weiche Butter
150 g Zucker
4 Eier
Saft und abgeriebene Schale von 1 Bio-Limette
175 g Mehl
40 g gemahlene Mandeln, ungeschält
½ TL Backpulver

Für das Frosting
400 g Sahne
2 EL Puderzucker

Außerdem
12er-Muffinblech
Öl und Mehl für das Blech
1 Handvoll Baisertupfen

für 12 Stück

ZUBEREITUNG

Den Backofen auf 180 °C (Ober-/Unterhitze) vorheizen. Die Mulden des Muffinblechs sorgfältig mit Öl einfetten und mit Mehl bestäuben.

Die Lychees schälen und entkernen. Butter mit Zucker schaumig schlagen, Eier mit Limettensaft und -schale hinzufügen und alles verquirlen. Mehl mit Mandeln und Backpulver vermischen und diese Mischung unter die Eier-Butter-Masse rühren.

Etwa ein Drittel des Teigs auf die Mulden verteilen. Auf die Mitte jeweils eine Lychee setzen und diese mit dem übrigen Teig bedecken. Die Küchlein im vorgeheizten Ofen etwa 25 Minuten goldbraun backen. Aus dem Ofen nehmen, leicht abkühlen lassen, aus dem Blech nehmen und auf einem Kuchengitter auskühlen lassen.

Für das Frosting die Sahne mit dem Puderzucker steif schlagen. In einen Spritzbeutel mit gezackter Tülle füllen und auf die Küchlein spritzen. Die Baisers grob zerbröseln und das Frosting damit bestreuen oder die ganzen Baisers daraufsetzen.

TIPP

Zwei grüne Papierkronen ausschneiden, Zahnstocher dazwischen legen zusammenkleben und hinten feststecken.

TUTTI-FRUTTI-DONUTS

ZUTATEN

Für den Teig
80 g Zucker
1 Prise Salz
1 Ei (M)
150 g Mehl
1 TL Backpulver
3 EL neutrales Pflanzenöl
150 ml Buttermilch
1 TL Vanilleextrakt

Für die Glasur
250 g Puderzucker
1 Eiweiß oder 5 g Eiweiß-pulver und 40 ml Wasser
Lebensmittelgelfarben in Pink, Grün, Gelb, Schwarz
Saft von 1/2 Zitrone

Außerdem
Backblech für Donuts (8 cm)
3 Spritzbeutel
1 Lochtülle (1 mm)
1 mittlerer Pinsel
Fett/Mehl für das Blech

für 10 Stück

ZUBEREITUNG

Backofen auf 180 °C Ober-/Unterhitze vorheizen. Backblech fetten und mehlen. Zucker, Salz und Ei cremig schlagen. Mehl und Backpulver mischen. Die flüssigen Zutaten mischen und im Wechsel mit der Mehlmischung unter die Zucker-Ei-Masse heben.

Den Teig etwa zur Hälfte in die Formen füllen, am besten mit einem Spritzbeutel. Im vorgeheizten Backofen etwa 10–12 Minuten auf mittlerer Schiene backen (Stäbchenprobe nicht vergessen!). Vorsichtig aus dem Ofen nehmen, etwas abkühlen lassen und aus der Form lösen. Vollständig auf dem Kuchengitter abkühlen lassen.

Für die Glasur Puderzucker sieben (1 EL zurückhalten). Mit Eiweiß oder Eiweißpulver und Wasser 2 Minuten aufschlagen.

Die Glasur auf drei Schälchen verteilen und rosa, hellgrün und gelb färben. Dem letzten weißen Schälchen vor dem Einfärben 2 EL entnehmen und in einem weiteren Schälchen schwarz färben. Alle Glasuren bis auf die schwarze mit etwas Zitronensaft zu einer zähflüssigen Glasur verdünnen.

Die Hälfte der Donuts mit der Oberseite in die gelbe Glasur tauchen und auf einem Gitter etwa 30 Minuten trocknen lassen. Die restliche gelbe Glasur mit 1 EL Puderzucker etwas andicken, mit der gelben Farbe etwas kräftiger einfärben und in einen Spritzbeutel mit Lochtülle füllen. Die gelben Donuts mit Linien verzieren und trocknen lassen.

Die restlichen Donuts mittig mit der rosafarbenen Glasur bestreichen, etwa 30 Minuten trocknen lassen. Den Rand grün anpinseln, trocknen lassen. Schwarze Glasur in einen Spritzbeutel mit Lochtülle füllen und kleine Tupfen auf die rosafarbene Glasur spritzen.

ANANAS-CUPCAKES

ZUTATEN

Für den Teig
120 g weiche Butter

1 Prise Salz

100 g Zucker

1 Päckchen Vanillezucker

2 Eier (M)

150 g Mehl

1,5 TL Backpulver

100 ml gekühlte Kokosmilch (Dose)

Für das Frosting
150 g Sahne

1 Päckchen Vanillezucker

150 g Frischkäse

Für die Deko

1 Ananas

Außerdem
Muffinblech

12 Papierbackförmchen

1 Spritzbeutel

1 Sterntülle (17 mm)

für 12 Stück

ZUBEREITUNG

Für die Ananasblüten den Backofen auf 100°C Umluft vorheizen. Die Ananas schälen und die dunklen Stellen mit einem Kugelausstecher entfernen. Die Ananas in sehr dünne Scheiben (ca. 20 Stück) schneiden und auf ein mit Backpapier belegtes Blech legen. Die restliche Ananas für den Teig beiseitelegen. Die Ananasscheiben für etwa 120 Minuten im Ofen auf mittlerer Schiene trocknen lassen. Alle 30 Minuten die Ananasscheiben drehen und so lange weiterbacken, bis die Ränder beginnen braun zu werden und die Scheiben sich trocken anfühlen. Zum Auskühlen die Scheiben leicht in (Mini-)Muffinformen drücken.

Für den Teig den Backofen auf 180 °C Ober-/Unterhitze vorheizen. Die Papierbackförmchen auf das Muffinblech verteilen.

Butter mit Salz, Zucker und Vanillezucker cremig schlagen. Eier nacheinander, je etwa 30 Sekunden, unterrühren. Mehl und Backpulver mischen und im Wechsel mit der Kokosmilch unter die Zucker-Ei-Masse heben. Die restliche Ananas raspeln und etwa 150 g zum Teig geben.

Den Teig auf die Förmchen verteilen und im Backofen etwa 20 Minuten auf mittlerer Schiene backen (Stäbchenprobe nicht vergessen!). Die Cupcakes aus dem Ofen holen und auf einem Kuchengitter auskühlen lassen.

Für das Frosting die Sahne steif schlagen und den Vanillezucker dabei einrieseln lassen. Den Frischkäse unterheben und in einen Spritzbeutel mit Sterntülle einfüllen.

Das Frosting auf die Cupcakes spritzen und bis zum Servieren kühl stellen. Vor dem Servieren die Cupcakes mit den Ananasblüten dekorieren und servieren!

MANGO-ROSEN-TARTELETTES

ZUTATEN

Für den Teig
180 g Mehl

100 g Butter

40 g Puderzucker

1 Prise Salz

1 Eigelb

evtl. etwas Joghurt (3,5 %)

Abrieb von 1/2 Bio-Limette

Für Füllung und Deko
80 g Frischkäse

80 g Crème fraîche

Abrieb von 1/2 Bio-Limette

2 TL Limettensaft, frisch

2 EL brauner Zucker

2 Mangos

Minzblätter

Außerdem
4 Tartelettefórmchen à 10 cm

Butter zum Fetten

Hülsenfrüchte zum Blindbacken

für 4 Stück

ZUBEREITUNG

Den Backofen auf 180 °C Ober-/Unterhitze vorheizen. Die Tartelettefórmchen fetten.

Aus Mehl, Butter, Puderzucker, Salz und Eigelb einen glatten Teig herstellen. Ist der Teig zu trocken, etwas Joghurt unterkneten. Limettenabrieb unterrühren. Den Teig in vier gleich große Stücke teilen und jedes Stück gleichmäßig ausrollen. Den Teig in die Tartelettefórmchen legen und die Ränder ein wenig hochdrücken. Den Teig mit Backpapier und Hülsenfrüchten belegen und im vorgeheizten Ofen etwa 15 Minuten auf mittlerer Schiene blindbacken. Die Hülsenfrüchte und das Backpapier entfernen und weitere 10 Minuten auf mittlerer Schiene goldgelb fertig backen. Tartelettefórmchen aus dem Ofen holen und auf einem Gitter abkühlen lassen.

Währenddessen Frischkäse, Crème fraîche, Limettenabrieb, Limettensaft und braunen Zucker mischen und glatt rühren. Die Creme auf die Tartelettefórmchen streichen.

Die Mangos waschen, schälen, halbieren, rechts und links am Kern entlangschneiden und die Hälften in möglichst dünne Scheiben schneiden. Daraus große und kleine Rosen formen, diese dann auf die Creme setzen. Für die großen Rosen kann man auch erst kleinere Rosen formen, auf die Creme setzen und die restlichen Scheiben um die Rose herum auf die Creme setzen. Zum Schluss mit Minzblättern garnieren und servieren.

WASSERMELONEN-CUPCAKES

ZUTATEN

Für die Cupcakes
1 Rezept Vanille-Cupcakes

Farbgel grün

1 Rezept Mascarpone-Frischkäse-Creme

Farbgel pink

2 Tropfen Wassermelonen-Aroma, nach Belieben

Für die Dekoration
50 g Zartbitter-Schokolade

Außerdem
Spritzbeutel

1 kleine Lochtülle

1 Sterntülle (1 M)

ZUBEREITUNG

Den Teig für die Cupcakes nach dem Grundrezept zubereiten. Zum Schluss grünes Farbgel unterrühren, backen und abkühlen lassen.

Für die Melonenkerne die Schokolade über dem heißen Wasserbad schmelzen und wieder abkühlen lassen. In einen Spritzbeutel mit kleiner Lochtülle geben. Kleine Tropfen auf einen Bogen Backpapier spritzen und trocknen lassen.

Sobald die Cupcakes abgekühlt sind, die Mascarpone-Frischkäse-Creme zubereiten, rosa färben und aromatisieren. Die Creme in einen Spritzbeutel mit Sterntülle füllen und von außen nach innen auf die Cupcakes spritzen. Mit den Schokotropfen dekorieren.

ROSEN-CUPCAKES

ZUTATEN

Für die Cupcakes
1 Rezept Vanille-Cupcakes

3 TL Rosenwasser

Für die Dekoration
1 Rezept Mascarpone-Frischkäse-Creme

Farbgel pink

Außerdem
Spritzbeutel

1 Rosentülle (geschlossene Sterntülle, idealerweise 2D von Wilton)

---

für 12 Stück

ZUBEREITUNG

Den Teig für die Vanille-Cupcakes nach dem Grundrezept zubereiten, zum Schluss Rosenwasser unterrühren. Die Cupcakes backen und abkühlen lassen.

Die Mascarpone-Frischkäse-Creme nach dem Grundrezept zubereiten. Ein Drittel der Creme rosa färben.

Einen Spritzbeutel mit der Rosentülle bestücken und die rosafarbene Creme an die Innenseite des Spritzbeutels streichen. Die weiße Creme in die Mitte geben. So ergibt sich beim Aufspritzen ein Marmor-Effekt. Die Creme auf die Cupcakes spritzen, dabei in der Mitte beginnen und am Rand enden.

TIPP

Sollten die Windbeutel oben zu schnell braun werden, deckt sie einfach mit Alufolie ab.

WINDBEUTEL MIT ERDBEER-HIMBEER-SAHNE

ZUTATEN

Für den Brandteig
125 ml Milch
Salz
100 g Butter
200 g Weizenmehl (Type 405)
4 Eier (M)

Für die Füllung
300 g Sahne
2 EL Vanillezucker
2 TL Puderzucker
10 frische Erdbeeren
20 frische Himbeeren

Außerdem
Spritzbeutel mit Sterntülle
Puderzucker zum Bestäuben

für 10 Stücl

ZUBEREITUNG

Für den Teig die Milch, 125 ml kaltes Wasser, 1 Prise Salz und Butter in einen Topf geben und unter Rühren aufkochen. Das Mehl auf einmal hinzufügen und den Teig so lange rühren, bis sich der Teig als Kloß vom Topfboden löst und sich ein heller Belag auf dem Boden bildet.

Den Kloß in eine Schüssel geben und 1 Ei mit einem Holzlöffel unterrühren. Den Teig etwa 5 Minuten stehen lassen. Anschließend nach und nach die restlichen Eier unterrühren, bis ein klebriger Teig entsteht. Den Teig weitere 5 Minuten ruhen lassen.

Inzwischen den Backofen auf 200 °C Ober-/Unterhitze vorheizen. Ein Blech mit Backpapier auslegen. Den Teig in einen Spritzbeutel mit Sterntülle füllen und 10 Windbeutel auf das Backblech spritzen. Auf den Backofenboden eine feuerfeste Schüssel mit Wasser stellen und die Windbeutel im Backofen (mittlere Schiene) in 25 Minuten goldbraun backen. Die Windbeutel herausnehmen und abkühlen lassen.

Für die Füllung die Sahne mit Vanillezucker und Puderzucker steif schlagen. Erdbeeren und Himbeeren waschen und trocken tupfen. Die Erdbeeren putzen und vierteln. Erd- und Himbeeren unter die Sahne heben.

Die Windbeutel waagerecht aufschneiden. Die unteren Teile mit Erdbeer-Himbeer-Sahne füllen. Die oberen Teile auflegen und mit Puderzucker bestäuben.

NOCH MEHR BASICS

BASIC BACKEN – BLECHKUCHEN
Grundlagen & Rezepte für Klassiker, Stechkuchen, Cheesecakes und Obstkuchen

96 Seiten, 17 x 21 cm
ISBN 978-3-86355-987-8

BASIC BACKEN – BROT & BRÖTCHEN.
Grundlagen und Rezepte für Baguette, Laugenecken, Focaccia, Sonntagsbrötchen, Bagels, Brioche und Co.

96 Seiten, 17 x 21 cm
ISBN 978-3-96093-274-1

BASIC BACKEN – KLASSIKER
Grundlagen & Rezepte für die beliebtesten Kuchen, Torten und Co.

96 Seiten, 17 x 21 cm
ISBN 978-3-86355-985-4

BASIC BACKEN – VEGAN
Grundlagen & Rezepte für Blechkuchen, Tartes und Torten

96 Seiten, 17 x 21 cm
ISBN 978-3-96093-061-7

BASIC BACKEN – WEIHNACHTEN
Grundlagen & Rezepte für Plätzchen, Kuchen und Co.

96 Seiten, 17 x 21 cm
ISBN 978-3-96093-062-4

BASIC BACKEN – MOTIVTORTEN
Grundlagen & Rezepte für Kindergeburtstage, Partys und andere Feste

96 Seiten, 17 x 21 cm
ISBN 978-3-86355-984-7